나승현 글·그림
미술 교육을 전공했습니다. 미술 교습소를 운영하며 아동 미술을 교육하고 있습니다.
반려견과 사는 이야기 '육견일기-개시절'을 인스타그램에 연재하고 있습니다.
instagram@gaeso529

안선재(앤서니 수사, Brother Anthony of Taizé) 번역
영국에서 태어나 옥스퍼드대학교에서 학위를 받고, 1985년부터 서강대학교 영문과 교수로, 현재는 서강대학교 명예교수로 재직하고 있습니다.
1994년에 우리나라로 귀화했으며, 대한민국문학상 번역부문 대상, 대산문학상 번역상, 한국펜클럽 번역상을 수상했고, 2008년 옥관문화훈장을 받았습니다.
고은 시인의 《만인보*Ten Thousand Lives*》와 《화엄경*Little Pilgrim*》 등 30권이 넘는 한국 시와 소설을 영문으로 번역했습니다.

바닷가로 살금살금
Sneaking off to the Beach

1판 1쇄 | 2021년 6월 9일

글·그림 | 나승현
번역 | 안선재(Brother Anthony of Taizé)

펴낸이 | 박현진
펴낸곳 | (주)풀과바람
주소 | 경기도 파주시 회동길 329(서패동, 파주출판도시)
전화 | 031) 955-9655~6
팩스 | 031) 955-9657
출판등록 | 2000년 4월 24일 제20-328호

홈페이지 | www.grassandwind.co.kr
이메일 | grassandwind@hanmail.net

편집 | 이영란
디자인 | 박기준
마케팅 | 이승민

값 12,000원
ISBN 978-89-8389-905-7 77810

※ 잘못 만들어진 책은 구입처에서 바꾸어 드립니다.

제품명 바닷가로 살금살금 | **제조자명** (주)풀과바람 | **제조국명** 대한민국
전화번호 031)955-9655~6 | **주소** 경기도 파주시 회동길 329
제조년월 2021년 6월 9일 | **사용 연령** 4세 이상
KC마크는 이 제품이 공통안전기준에 적합하였음을 의미합니다.

⚠ **주의**
어린이가 책 모서리에 다치지 않게 주의하세요.

바닷가로 살금살금

글 · 그림 나승현

바우솔

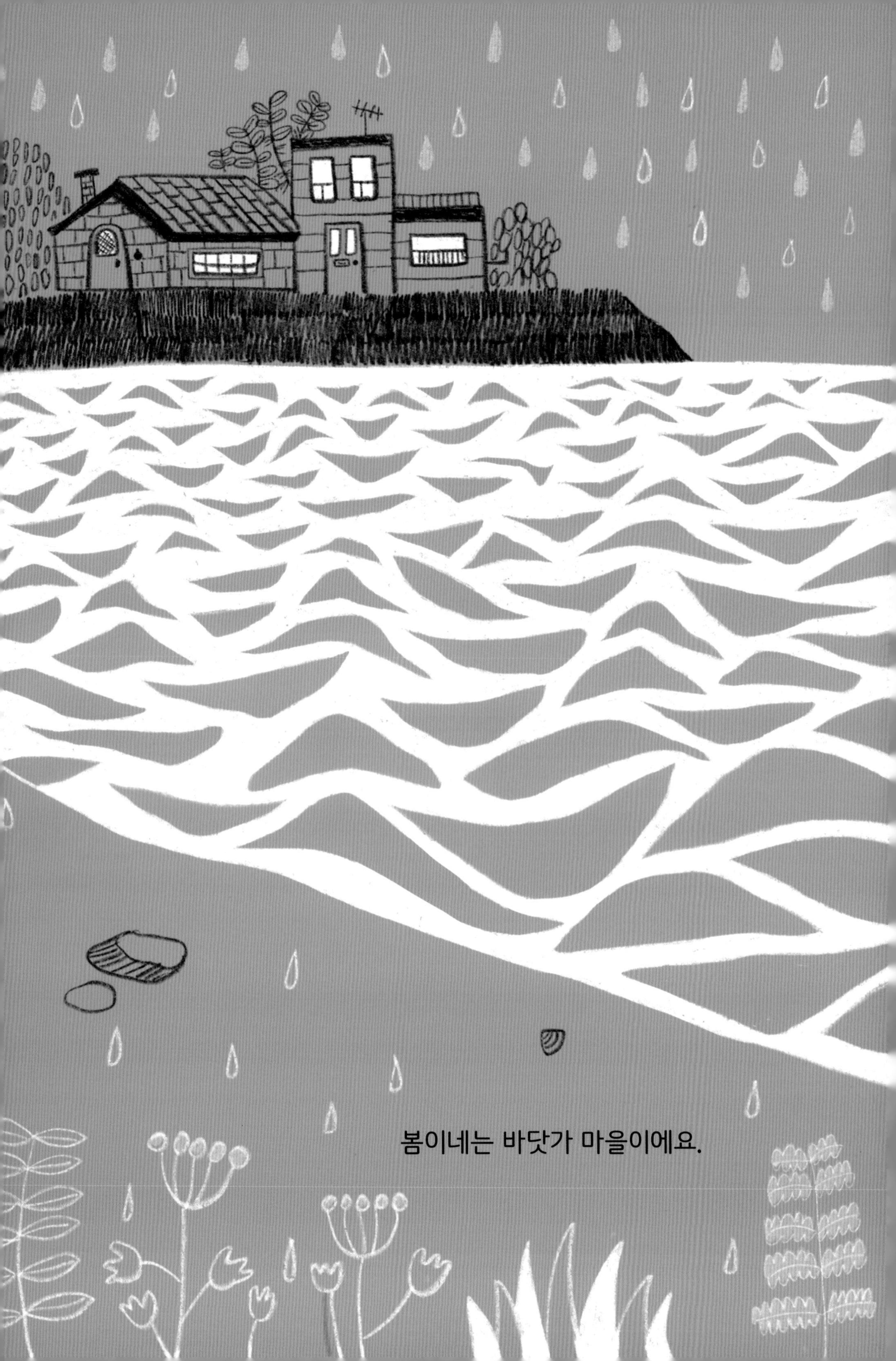

봄이네는 바닷가 마을이에요.

"엄마 밖에 나가서 놀고 싶어요."
비를 좋아하는 봄이가 말했어요.
"오늘은 비가 와서 안 돼."
엄마는 고개를 저었어요.

'난 비 오는 날에도 바다 친구들과 놀고 싶어.'
봄이는 창밖을 바라보며 생각했어요.

물고기
문어
김봉네집
ㄱㄴㄷㄹㅁ
조랑이

봄이는 엄마 몰래 **살금살금**
바닷가로 나갔어요.

"야호, 바다다!"

봄이는 토도독토도독 내리는 비를 맞았어요.

첨벙첨벙 물놀이도 하고

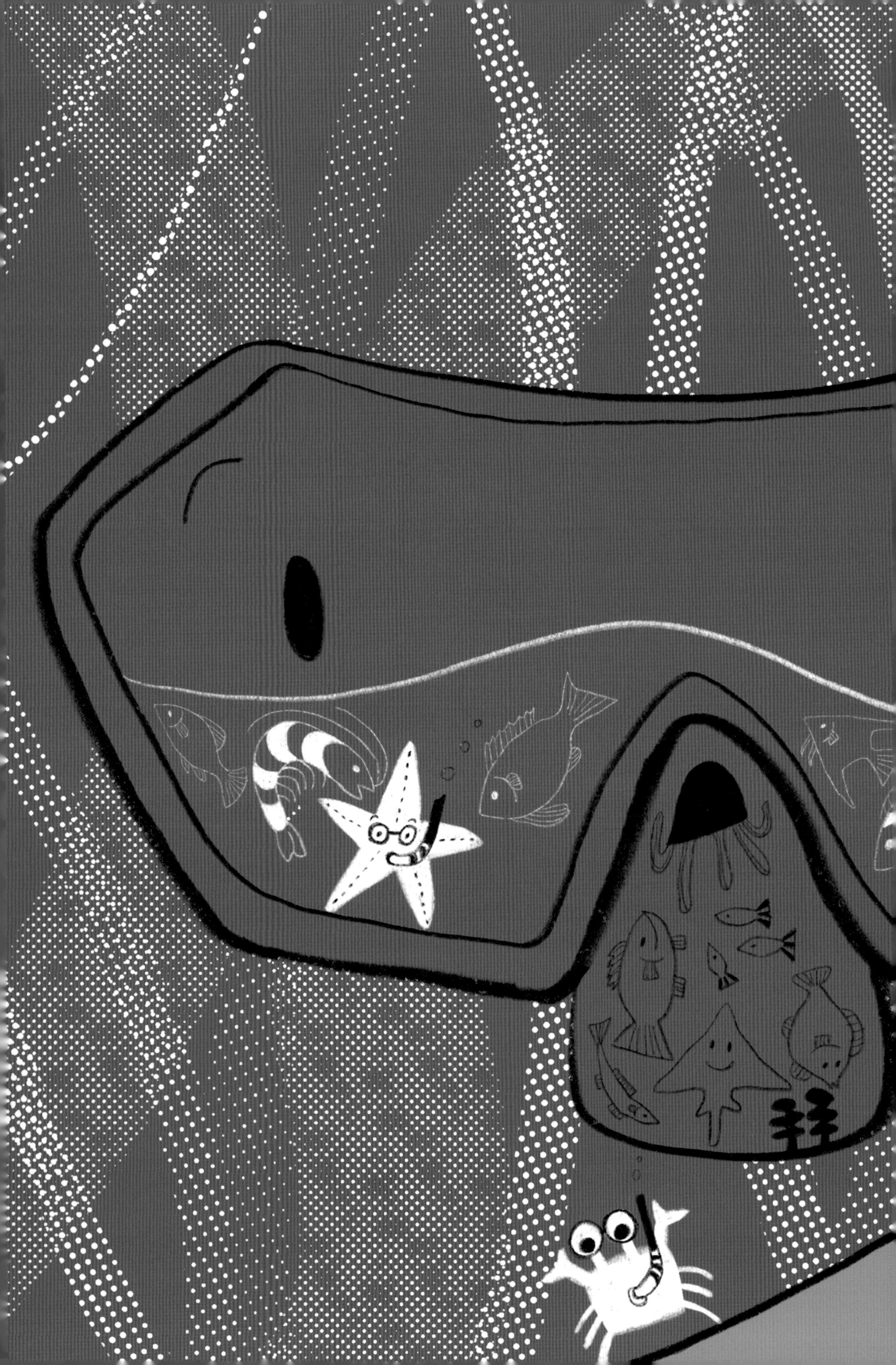

바다에 들어가 어푸어푸
수영하며 놀았어요.

봄이는 모래사장에서
데굴데굴 구르고,

비비적비비적 몸을 비볐어요.

놀다 보니 비가 그치고 어느덧 어둑어둑 해졌어요.
이제 집에 갈 시간이에요.
"친구들아, 안녕!"

봄이는 **살금살금** 집으로 들어갔어요.

"봄아 어디 갔다 왔니? 온종일 걱정했단다."
봄이를 보고 깜짝 놀란 엄마가 말했어요.
"엄마 몰래 바다에 가서 놀았어요. 죄송해요."

"우리 봄이 모래투성이구나. 어서 목욕하자."

목욕을 하니 몸이 사르르 녹는 듯했어요.
봄이는 재미있었던 오늘을 떠올리며
뒹굴뒹굴하다가 스르륵 잠이 들었어요.

"우리 봄이 오늘 행복했니?
다음엔 엄마랑 같이 가자."

Sneaking off to the Beach

Bom's home is in a seaside town.

Bom, who likes rain, said,
"Mom, I want to go out and play."
Mom shook her head.
"You can't because it's raining today."

Bom looked out of the window and thought,
'I want to play with my sea friends, even on rainy days.'

Bom slipped behind his Mom's back
and went out to the beach.

"Yahoo, it's the sea!"

Bom was soaked in the dripping rain,
went splashing about in the water,
swam and played
in the sea, puffing and blowing,
then Bom went rolling and rolling
around on the sand,
rubbing and rubbing his body.

It stopped raining, got dark.
Now it's time to go home.
"Bye, friends!"

Bom crept cautiously into the house.

Surprised to see Bom, his mom spoke up,
"Bom, where have you been? I've been worried all day."
"I went to the sea to play without telling you. I'm sorry."

"Our little Bom is covered in sand. It's time for a bath."

He seemed to be melting after taking a bath.
Bom remembered the day so full of fun,
curled up and fell asleep.

"Dear little Bom, were you happy today?
Next time, be sure to take your Mom with you."